그 남자를
죽이는 법

HOW TO

그 알파를
꼬시는 법

시즌1

2

글 / 그림 **킴녕**

SNAG
AN
ALPHA

결 DESIGN

HOW TO

SNAG
AN
ALPHA

HOW TO
SNAG
AN
ALPHA

14

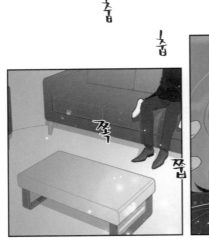

쪽

쪽

쪽

쪽

쪽

하아

하이

하아

느껴져?

네 페로몬.

응.

흐읏

차경주
페로몬…

사음

좋아.

부비

부비

피식—

스응

움찔!

어…!

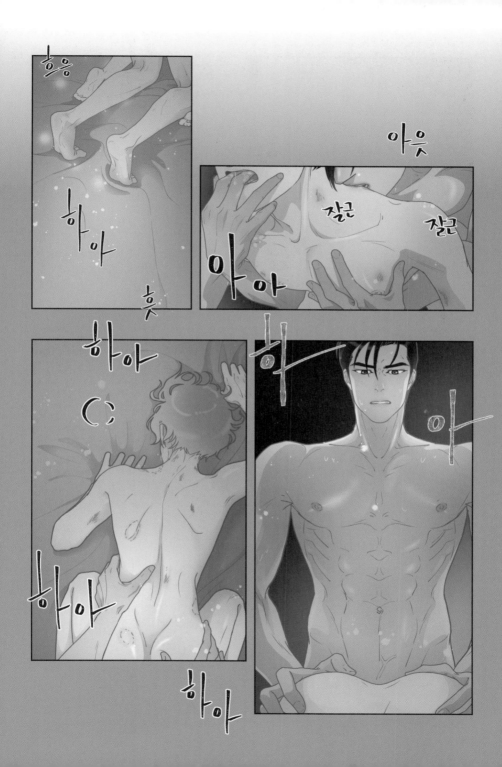

꿈…

…에서도 끝까지 못….

전장, 내가 왜 이러고 있는 거지.

서산 차경주 얘기 들었어?

알겠어요

호텔에서 봐요

다 와 가요

차경주가 왜?

소곤

소곤

오늘 저녁에 보지.

알겠어요

호텔에서 봐요

다와가어

소곤

요즘 오메가 만난다던데?

진짜?

차경주 베타만 만났잖아.

그러니까 내 말이.

같이 룸에 들어가는 것도 봤대.

소곤

소곤

하기야,

차경주도 알파니까….

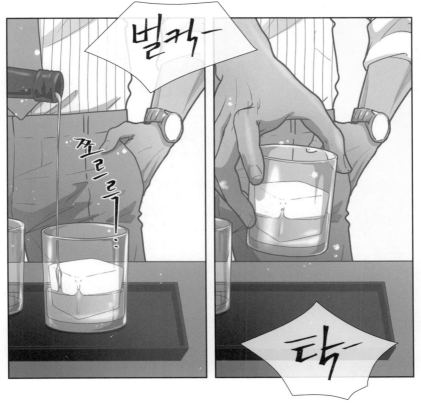

찌릿

마실래?

성큼

성큼

…그쪽이
더 좋다면.

흠칫!

덥석

잠깐만.

스슥

왜?

그 오메가보다 내가 못해요?

딱

갑자기 그게 무슨 소리야?

15

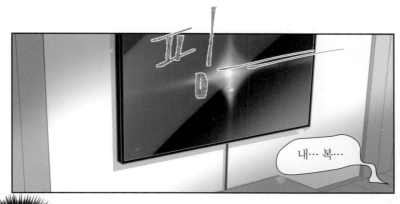

내… 복…

아무리 한파가 몰려와도!

와아악!

차경주 만나러 가면서 내복을 입고 나가는 빠가사리가 어딨어!

내가 계속 파토내서 차경주가 질렸을지도 몰라!

다시 연락해도 되나?

딱

딱

진상이라고 생각하는 건 아니겠지?

연락해, 말어?

골똘

흠…

윤우영이…

지금 뭐 하냐?

…윤우영?

약속도
없이

갑자기
무슨 일이지?

뭐가
그렇게…

타
다
닥!

야!

갑자기
뭐 하…

꽝!

츕

쪽

쯥

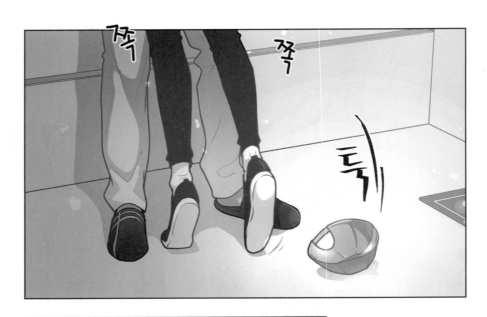

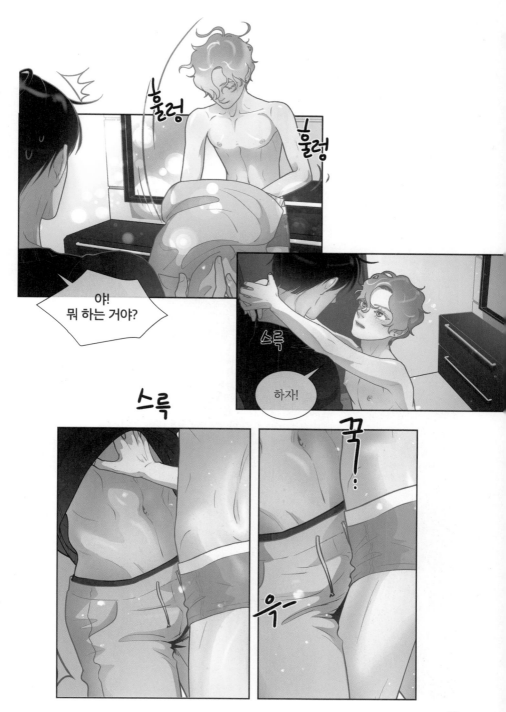

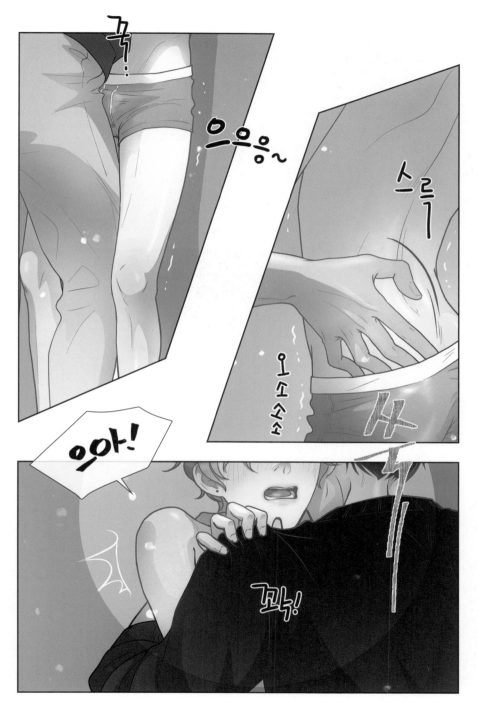

역시
안 되겠다.

아니,

아니!

할 거야,

잘할 수 있어!

내가…
잘 몰라서
그런 거니까,

차경주가
가르쳐줘.

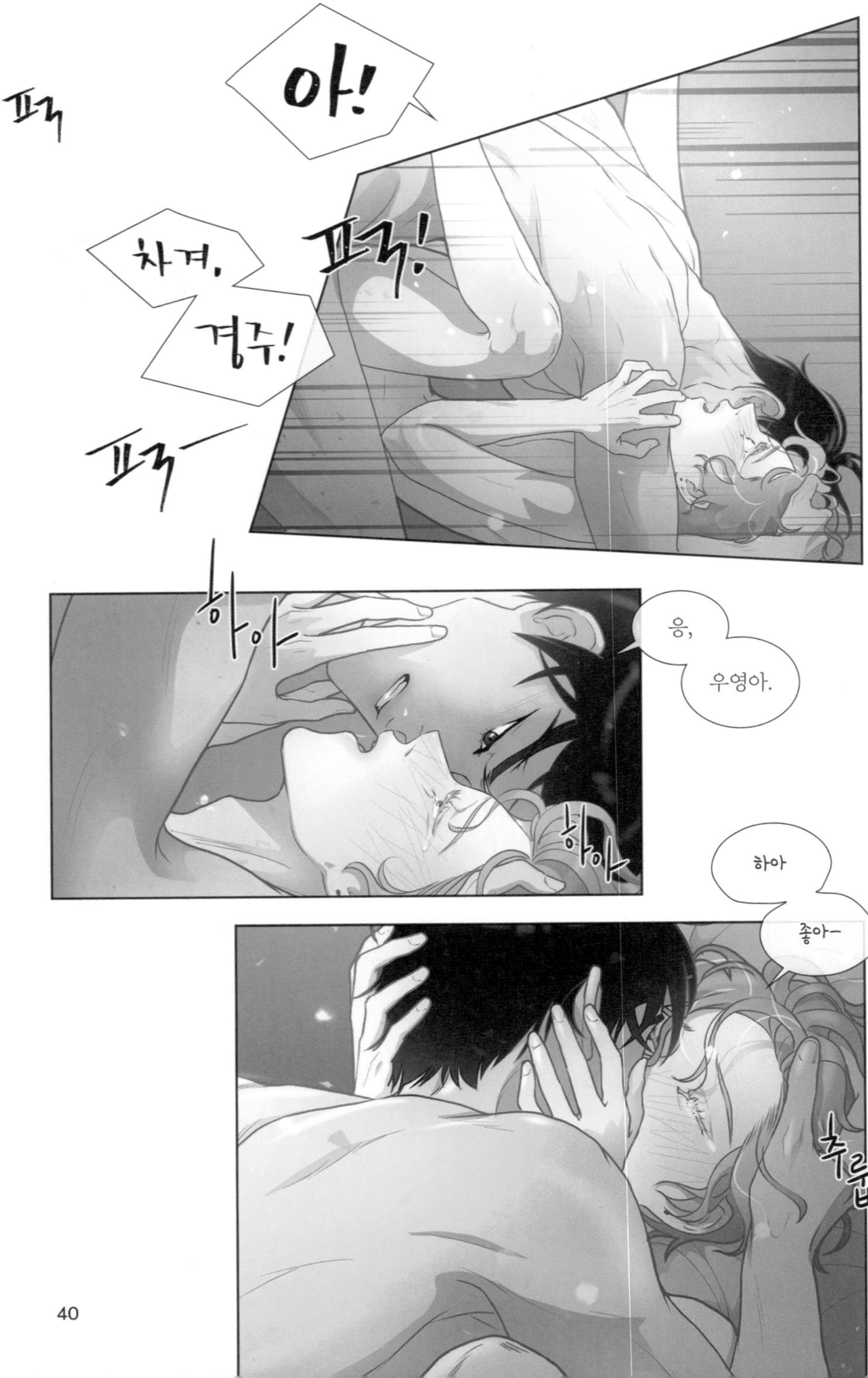
프극
아!
차겨,
경주!
프극!
프극ㅡ
하아
응,
우영아.
하아
하아
좋아ㅡ
추릅

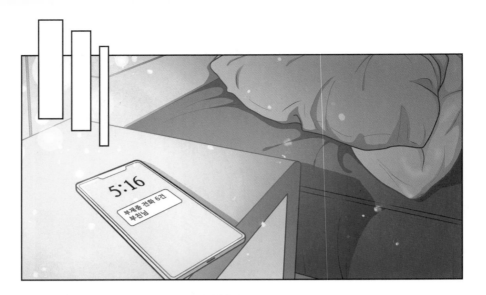

쯉

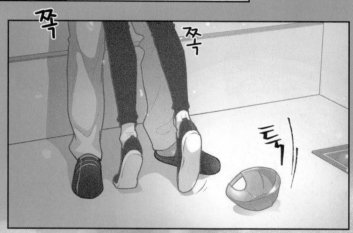

쪽

쪽

툭

피식—

태성 모터스
회장의 차남
한예성 이사는…

HOW TO
SNAG
AN
ALPHA

16

48

53

에?

지니
무엇이든 알아봐

DANGER

요즘은요?

최근에
뭐 달라진
점이나,

평소랑 다른
사건이나…

뭔 문제
없었어요?

문제가
있었으면 하는
얼굴인데…

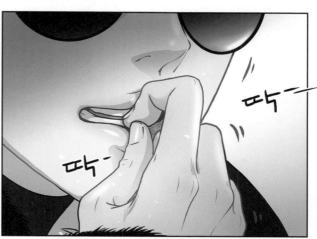

딱-

딱-

뭐, 고객님을
만난 거 외엔

평소랑
크게 달라진 행적은
없습니다만.

탁

탁

탁

그런데
왜 그럴까요?

흠.

아무래도…

어장 관리 아닐까요?

예에?

지금 내가?

이 윤우영이가?

어장 속 물고기라고?

어이가 없다 못해

허준이 울고 가겠네!

하!

지금 뭐지?

개그인가?
드립인가?

설마
얼굴만 어려 보이는
아재였나?

보세요.

고객님을
만나기 시작한
기간부터

현재까지.

정확하게
2회!

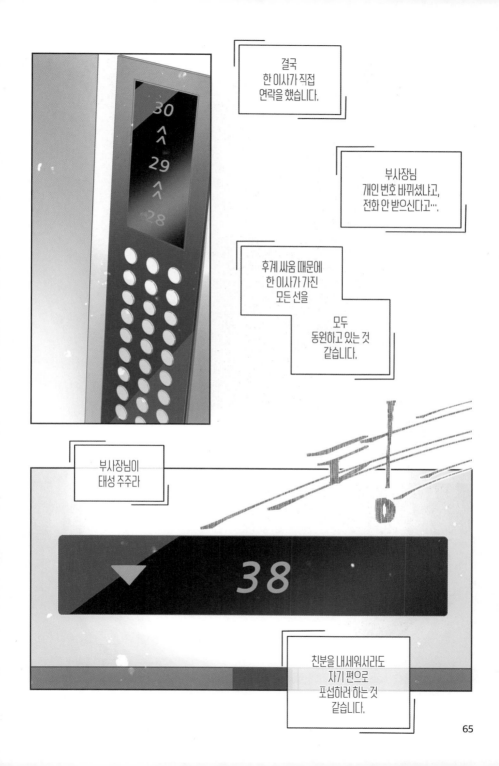

결국
한 이사가 직접
연락을 했습니다.

부사장님
개인 번호 바뀌셨냐고,
전화 안 받으신다고….

후계 싸움 때문에
한 이사가 가진
모든 선을

모두
동원하고 있는 것
같습니다.

부사장님이
태성 주주라

38

친분을 내세워서라도
자기 편으로
포섭하려 하는 것
같습니다.

친분이라….

깍

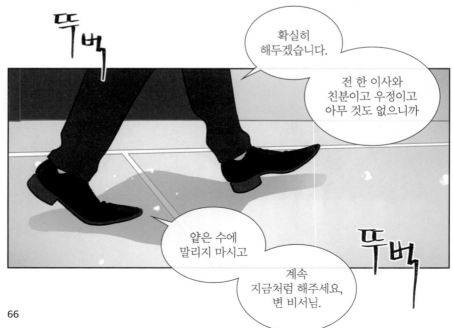

뚜벅

확실히
해두겠습니다.

전 한 이사와
친분이고 우정이고
아무 것도 없으니까

얕은 수에
말리지 마시고

계속
지금처럼 해주세요,
변 비서님.

뚜벅

한예성이든,
한예문이든,

우린 우리에게
이익이 되는 곳에
섭니다.

그러니까
당분간…

멈칫

부사장님?

HOW TO
SNAG
AN
ALPHA

17

나랑
얘기 좀 해.

얘기 좀 하자고,
차경주.

변비서
통화종료

말해.

바쁘다고.

꽉

도와준다며,

호르몬
안정될 때까지
도와준다며.

옆에 있어준다며!

버럭!

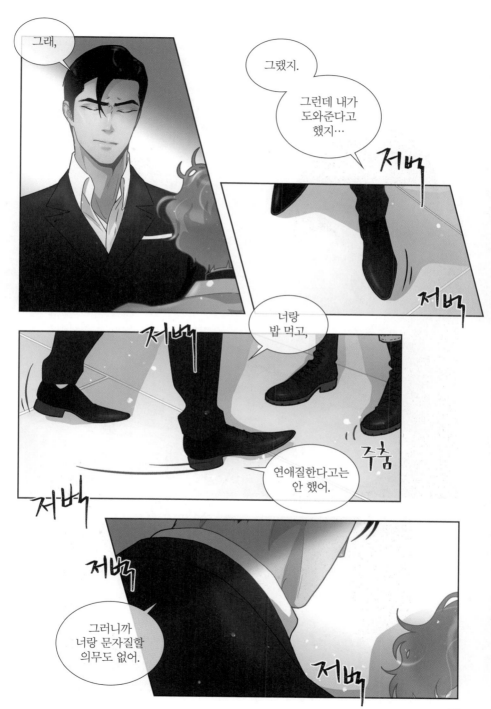

73

74

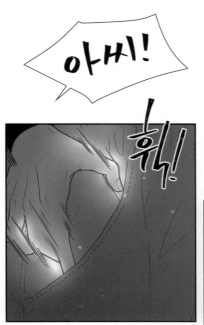

에잇, 모르겠다!

착신 부친님

삐로롱~

콰!

어?

나 두고 들어간 거야?

어... 안 되는데.

아이고!

아닙니다!

제가
지금 댁으로
찾아뵙겠습니다!

금방 갑니다!

굽신

굽신

삐리리립~

이씨⋯.

그 자식이랑
연애하냐?

그,
그건 아닌데…

너 차경주랑
무슨 사이야?

그럼
그 썸이라는
그거냐?

음,
그게…

그럼!

콰앙!

끾!

너 혼자 바보같이
그 자식 따라다니는
거야?

아니야!

척!

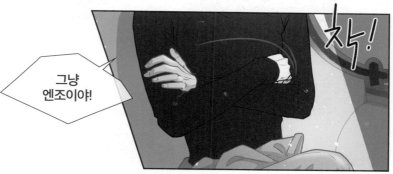

그냥
엔조이야!

척!

엔. 조. 이!

그으래?

그럼,

네가
그 자식한테
목매는 건
아니네?

아니!

볼 건데!

선, 봐!

볼 거야!

미끼를
물었어.

그래!

너도 딴 놈
만났는데,

18

갑자기
왜 그러지?

빡쳐하면서도
또 차경주가
보고 싶다니.

윤우영,
미쳤어…

게다가,

아무리
그래도
이건 아니지…

툭

어쩌자고
여기서!

선볼 생각을
하느냐고!

윤우영!

우영 씨?

어디
안 좋아요?

아니요,
괜찮아요.

하하

신경 쓰지
마세요.

하하,
괜찮으시다니
다행이네요.

하시던 얘기
마저 하세요!

뭐래?
뭐가 다행인데?

제가 알파라서
베타는 좀
곤란하거든요.

아니, 뭐가 곤란ㅎ…

너 번호 바꿨냐?

전화 안 되던데?

내가 연락했었다고 비서가 말 안 해?

힐끗

바빴어.

하 하

야, 너랑 밥 한 끼 먹기가

뭐 이렇게 힘드냐?

힐끗

움찔!

그러게,

많이 바쁘네.

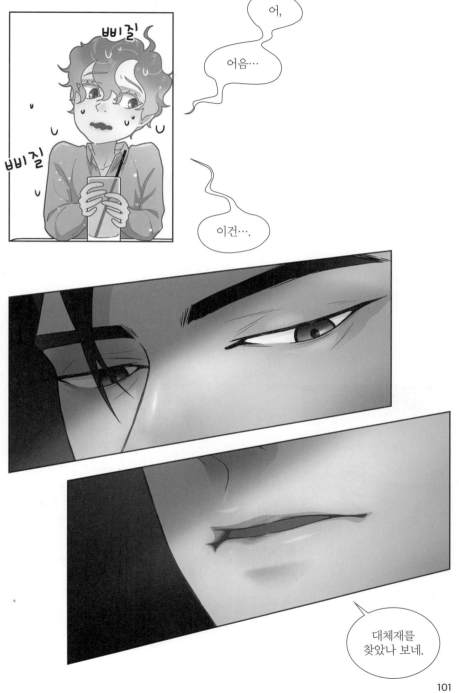

엉?

집안끼리 친분이 있는 사이라,

좋게 만나보라고 자리 마련해주셨어.

둘이 아는 사이야?

그 입 다물지 못할까!!!

아, 아니…!

빌 먹…!

꾸깃

…좋게?

차경주, 이건 내가 잠깐 미츠…

부사장님—

102

잉?

어…?

바빠서
먼저 가볼게.

팟!

어, 어?

잠깐ㅁ…

폭.망.했.다.

이제 난
차경주한테
물고기도 아니야…

지나가는
불가사리로
전락했어…

경주랑은 어떻게 아는 사이예요?

친한 사이예요?

이놈은 왜 쓸데없이 말이 많아?!

아… 뭐, 그냥 지나가는…

그런 사이가 됐죠….

이 자식 때문이야!

저는 경주랑 대학 때부터 알았어요.

미국 유학도 같이 했거든요.

그땐 거의 매일같이 붙어 다녔는데….

미국 유학?

유학에서
돌아온 후로

지니
무엇이든 알아봐

연애는
전혀 하지 않고
파트너만 바꿔가며
만나고 있습니다.

HOW TO
SNAG
AN
ALPHA

19

114

동문회….

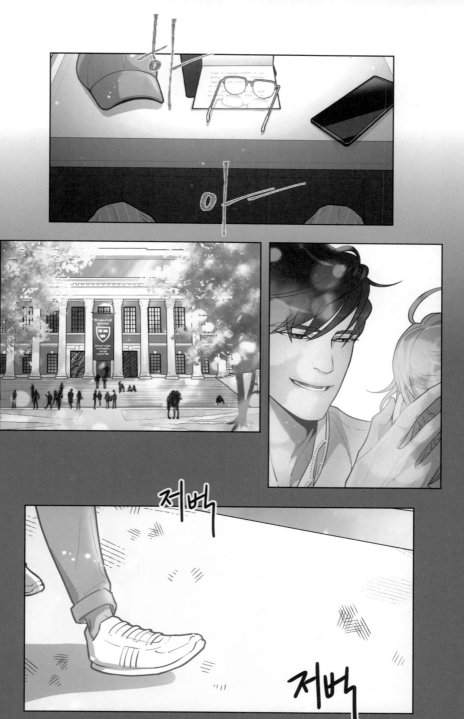

흠칫!

언제 왔어?

온다고
연락하지,

오랜만이다.

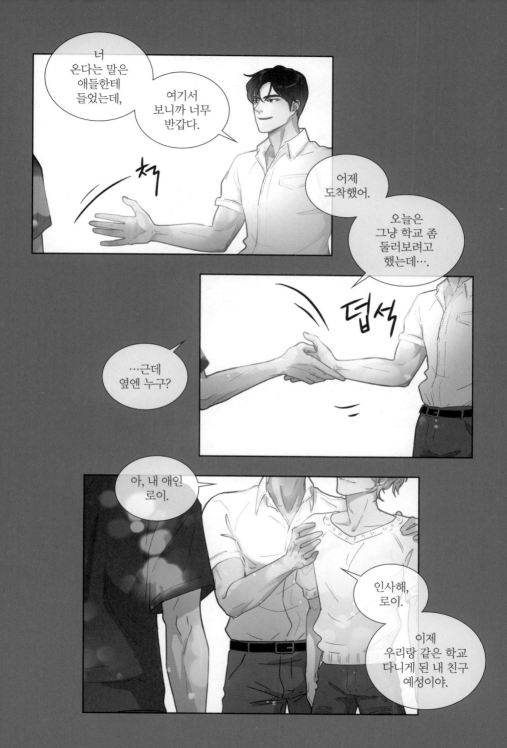

애들이 너 찾는다고!

로이, 잠시 경주 좀 빌려간다--!

로이, 잠시만 갔다 올게.

조금만 기다려줘.

...만인의 연인이네.

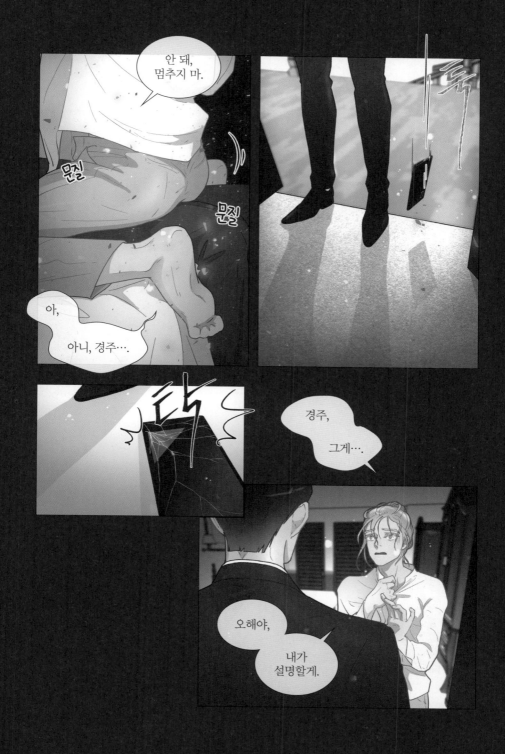

갑자기
히트가 와서…

숙

주춤

경주야,
미안하다.

나도
어쩔 수가
없었어.

로이가 먼저
페로몬을 뿌리면서
작정하고
꼬시는데,

난들
어쩌겠냐?

너도
알파니까
알잖아.

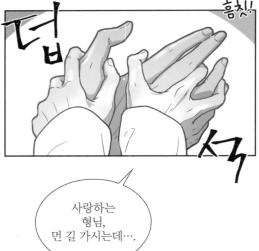

HOW TO 
SNAG
AN
ALPHA

HOW TO
SNAG
AN
ALPHA

20

그래, 알파는 당연히 오메가를 만나야지.

누군데?

한예성 오랜만이다?

오랜만이라서 더 반갑지?

풀썩

우리는 네가 미국에 하도 오래 있길래

유학이 아니라 이민인 줄 알았다.

이제 나도 좋은 오메가 만나서 결혼도 하고, 자리 잡아야지.

네가? 오는 오메가 안 막고 가는 오메가 안 잡는 한예성이?

무슨 소리야, 나 결혼하려고 선도 봤어.

그래, 나 선보는 거 경주도 봤다니까?

그래?
상대가 누군데?

경주는
누군지 알아?

묵묵...

듣고
놀라지나
마라.

압구정
윤 회장님
막내 손자.

난
윤 회장 막내 손자가
베탄 줄 알고
있었는데,

오메가라더라고.

흠칫!

야,
뭘 그렇게
놀라냐?

141

차경주,
윤우영이랑
사귀어?

그땐
아무 말
없었잖아?

우영 씨도
아무 말
없었는데.

둘이
진지한 사이는
아니지?

내가
미안해할 필요
없는 거지?

그냥 가볍게
몇 번 만난 건가
본데.

알다시피
내가 좀 급하잖냐?
이번엔 네가
양보 좀 해줘라.

143

145

우, 우영 씨,
그게 아니라…

벌떡

참나, 차경주랑
동문이래서 머리는 좀
좋은 놈일 줄
알았는데

아직도
상황 파악이
안 되니?

아니다,
넌
안 되겠다.

척!

우리 할아버지가
친구는 가려
사귀랬어.

너처럼 돼먹지
못한 놈들이랑은
상종을 말랬다고!
어?!

움찔

그러니까
차경주!

어?

저런 놈이랑
상종하지 말고,

가자!

저 자식보다
내가 더 급해!

쪼옥♥

알다시피ー.

HOW TO

SNAG
AN
ALPHA

21

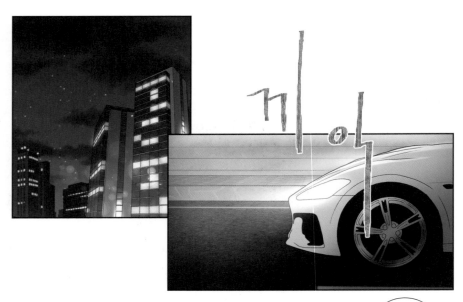

끼이익

음….

꽈악

데려다줘서
고마워.

뭐, 벼,
별걸….

탁!

하악

어?!
언제?!

덩.

아?
자, 잠깐만!

기다려―!

자,
이거.

괜찮아,
입고 가.

척—

나 이제
괜찮아.

멈칫—

호, 호르몬
안정됐대.

이제
차경주가
안 도와줘도
돼.

잘됐네.

덥석

그럼, 이제 만날 일…

그러니까!

덥석

이제 도와주고,

도움받고, 그런 거 없이

차경주 만나고 싶어!

나 차경주 좋아해.

그렇게 됐어.

헤 헤

그러니까
우성 알파 차경주
말고,

그냥 차경주가
내 옆에 있었으면
좋겠어.

윤우영, 나는…

할 말 끝!

아빠가 빨리 오래!

하하

아빠가 나보다 더 급한 것 같더라고.

하하

할 말 다 했으니까 가볼게.

내가 조, 좀 바빠서.

윤우영이가 아주 정신줄을 놨구나?

너 무슨 돈으로 옷까지 사 입었어?

삐비까

뻔쩍

혀, 형님께서

카드를 주셔서요….

하하ᵕᵕ

윤주영 이 자식!

아니, 형이 동생을 아끼는 마음에…

형이!

동생을 아끼는 마음에 카드까지 줬는데!

164

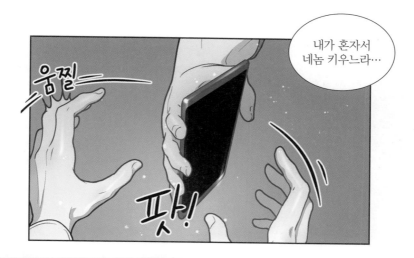

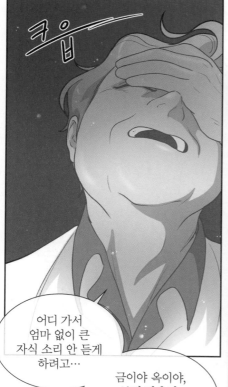

165

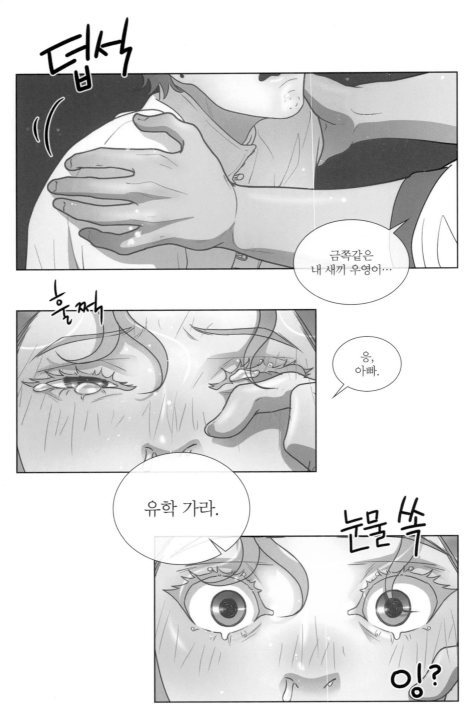

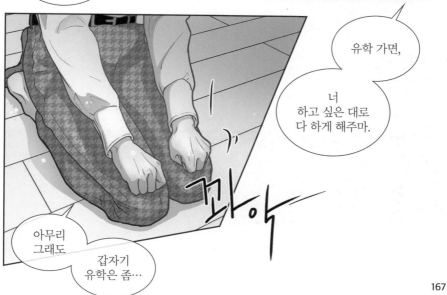

그러니까 우성 알파 차경주 말고,

그냥 차경주가 내 옆에 있었으면 좋겠어.

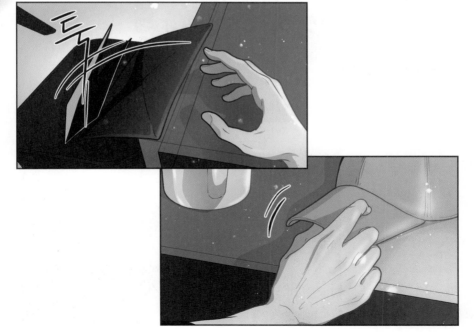

22

놀자더니…

173

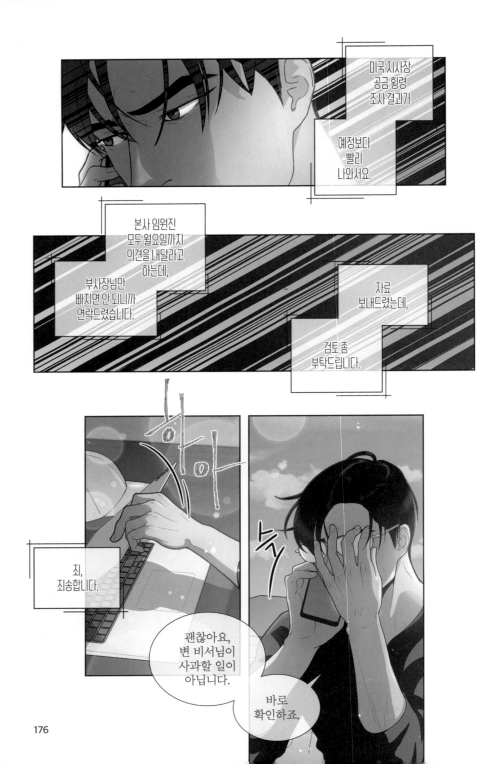

177

이 시간에
누구지?

179

윤우영 너,

그
차림으로….

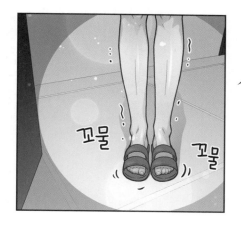

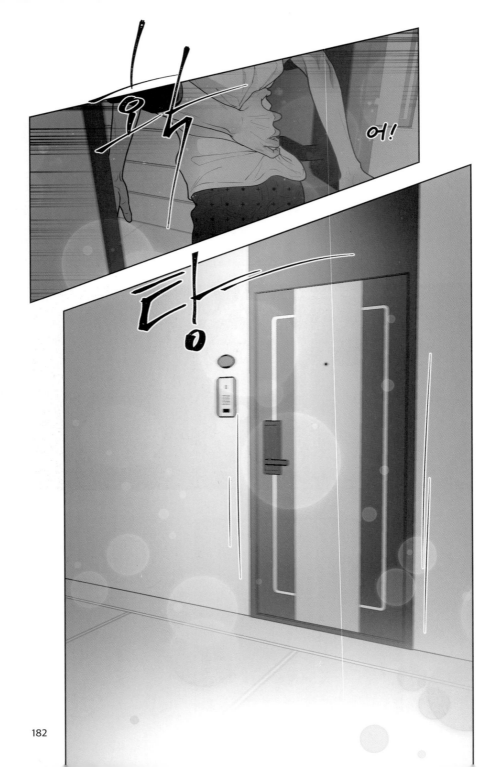

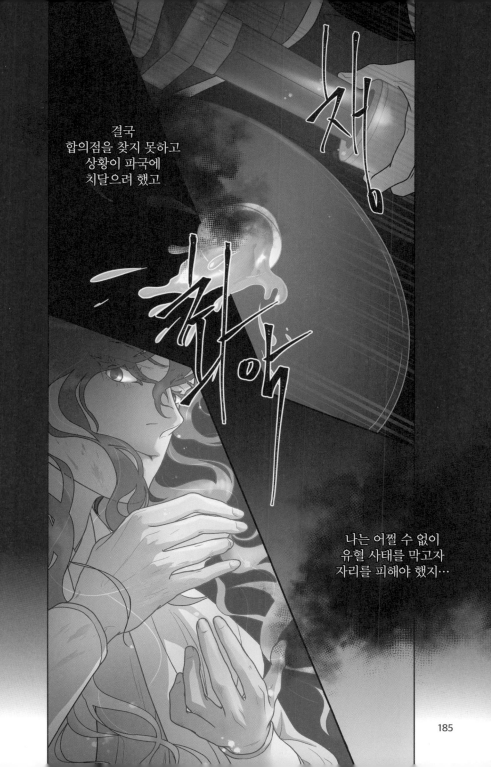

결국
합의점을 찾지 못하고
상황이 파국에
치달으려 했고

나는 어쩔 수 없이
유혈 사태를 막고자
자리를 피해야 했지…

그러니,

하룻밤만 신세 좀 지겠네.

그러니까, 아빠랑 싸우고 가출했으니까

재워달라고?

허, 참...

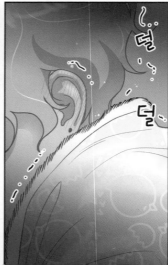

덜

덜

알겠어.

재워줄게.

어?

하룻밤이든
이틀 밤이든

착!

너 편한 대로
신세 지라고.

차경주,
어디 아파?

어?

오늘따라
왜 이렇게
상냥하지?

피낙

다
마셨으면
씻어.

욕조에
따뜻한 물 받아
놨으니까,

담그고
있으면 몸이
좀…

더
시린 곳은
없고?

음...

스윽!

목도 시려,

차경주는
따뜻하네.

후훗

턱!

HOW TO
SNAG
AN
ALPHA

23

똑
똑

내 옷 중에
제일 작은 거로
찾았는데,

너한테
맞을지
모르겠다.

어…

문 앞에
둘게.

응.

…고마워.

나가면…

하겠지?

왜 새삼…

부끄럽지?

보글

보글

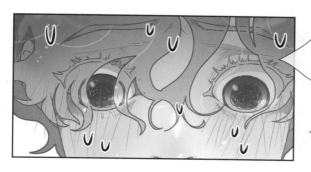

바지가 커서
그런 거라고!

내가
뭘 하자고 그런 게
아니고,

차경주가 싫다
그러면 난 손도
안 댈 거…

알겠어,
오해
안 할게.

뿍

그, 그래…

고오맙네.

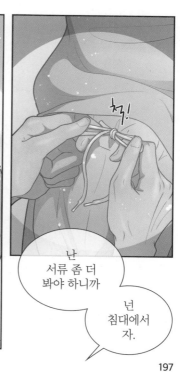

척!

난
서류 좀 더
봐야 하니까

넌
침대에서
자.

197

수북

아…

그렇구나.

나
기다릴게.

차경주
일 끝나면 같이
침대에서 자자.

간 절

반짝

안 돼.

시간도
늦었고,

달랑

달랑

추운 데
오래
있었으니까

빨리
쉬어야지
감기 안 걸려.

풀썩

나도 일 끝내고
침대에서
잘 테니까

먼저 자.

알겠지?

뽀옥

꼬옥

응,

꼭
내 옆에서 자.

응,

꼭
네 옆에서
잘게.

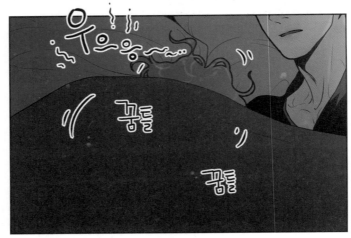

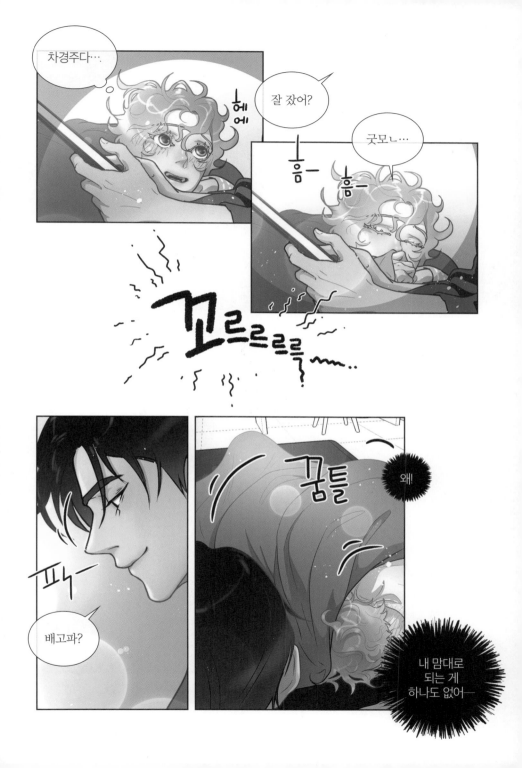

여기서
또 뵙네요?

요즘도
여전히
바쁘시죠?

잘
지내셨어요?

차경주 씨.

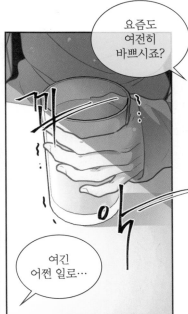

끼~

아

여긴
어쩐 일로…

아, 네.

힐끔

저도
요즘 많이
바빠졌어요,

덕분에.

뭐
아쉽지만
어쩌겠어요,

목숨
부지하려면
참아야지—.

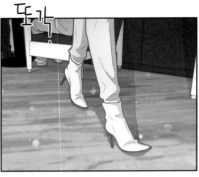

힐끗

또각

제가
지나가다가
말이 너무
많았죠?

바빠서
이만 가볼게요.

식사 맛있게
하세요.

또각!

또각

데이트
있나 보네.

207

우ㅇ…

차경주.

응?

요즘도…

…계속 만나?

뭐가?

그,

파트너…

잘근~

잘근~

…호텔에서
만나던.

그걸,

어떻게…

HOW TO 
SNAG
AN
ALPHA

24

미안해.

차경주한테
어떻게 다가가야
하는지 몰라서
그랬어.

나는
좋은데,

네가 그걸
어떻게 알아?

차경주는
나 안 좋아하니까….

뭐라도
해야 하는데,

뭘 해야
할지 몰라서…
뒷조사했어,
미안….

덥석

윤우영이
하고 싶은 대로
하면 돼.

진짜,
그래도 돼?

응,
그래도 돼.

덥석

그럼
그 사람이랑
만나지 마!

토닥

토닥

응,
이제 안 만나.

214

아무도 만나지 마!

나랑만 만나!

그래, 너랑만 만날게.

그럼, 나랑 키스해!

응?

피ㅡ

응, 그러자.

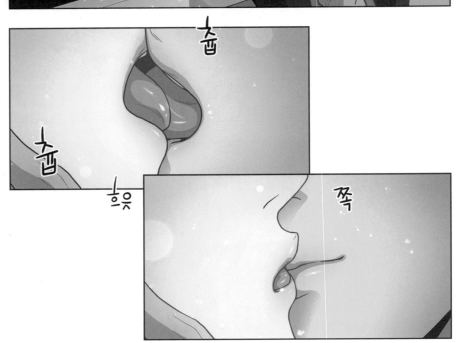

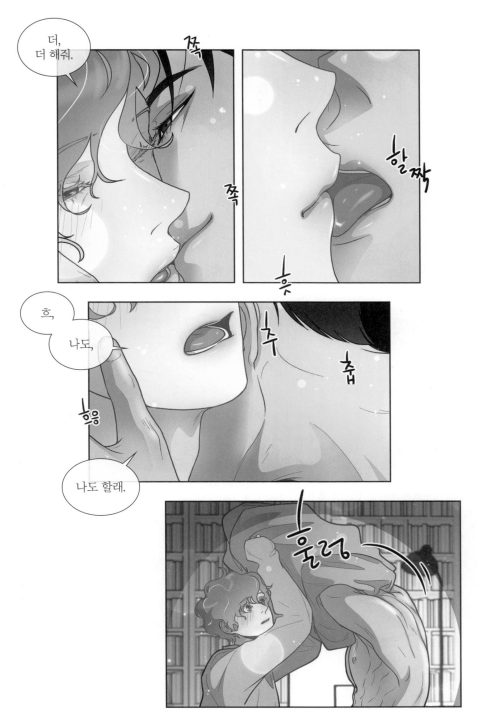

아팠어?

괜찮아.

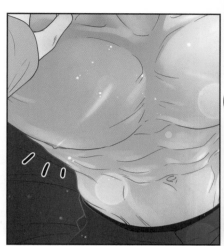

가슴,
만져도 돼?

꿀깍!

파—

덥석

자,

웁♥

쩍!

하고
싶은 대로 하면
된다니까.

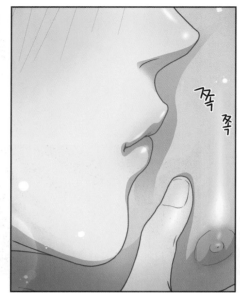

쪽
쪽

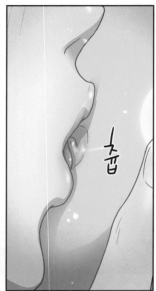

춥

까득

으

아야,

먹으려는 건
아니지?

차경주도
이렇게
하길래….

힘
조절해야지.

이렇게.

비틀

흐응~

흐읏!

쏙

223

너,

너무...

아아,

자, 잠깐만!

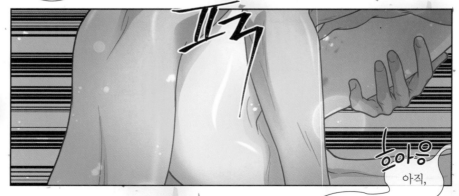

HOW TO

**SNAG
AN
ALPHA**

HOW TO
SNAG
AN
ALPHA

25

으으으으!

흣!

겨, 경주, 원래

알파 건 다,

흐응~

이렇게 커?

흣

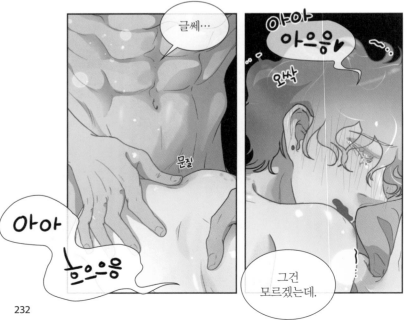

글쎄…

아아 아으응♥

으싹

문질

아아

흐으응

그건 모르겠는데.

233

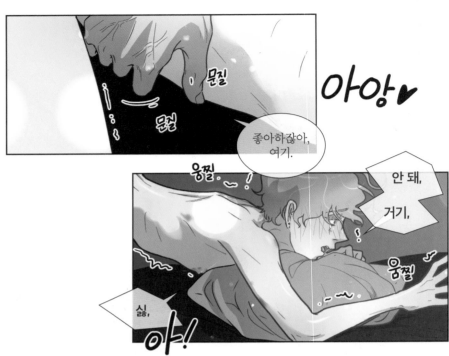

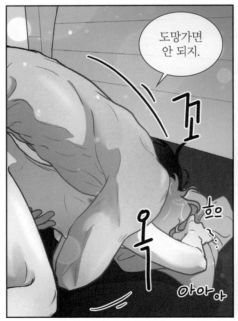

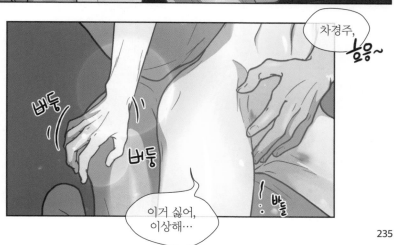

집에 들어가봐야
하는 거 아니야?

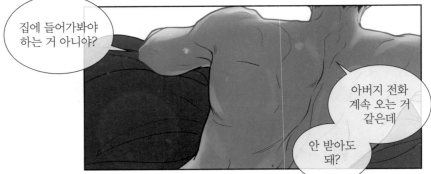

아버지 전화
계속 오는 거
같은데

안 받아도
돼?

차경주,
나는…

차도 있고,
집도 있고, 돈도
있고, 있을 건 다
있는데…

꼬물

진로를
못 정하겠어.

이제
졸업하는데,

뭘
해야 할지도
모르겠고.

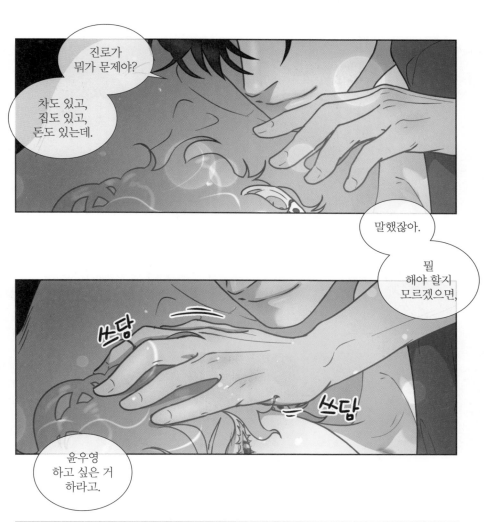

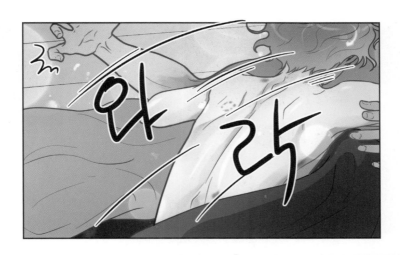

…
저, 부사장님.

뻐끔

저 지금
나가야 하는데,
나머지 일은
다녀와서…

한 이사님
오셨습니다.

나도 명색이 선본 남잔데,

가봐야 하는 거 아닌가?

무슨 말이 하고 싶은데?

이제야 내 말을 들을 생각이 생겼나 보네.

계속 귀찮게 굴 것 같으니 짧게 얘기하지.

대신, 그 입에 윤우영 이름 올리지 않았으면 좋겠군.

불쾌하니까.

차경주,
무섭네.

근데…

날 설득하러
온 사람이
빈손인가?

자료나
프리젠테이션
같은 건 없나?

움찔

야, 야.
우리 사이에
무슨…

태성 주주들
소문을 듣자 하니,
지금 목숨 걸어도
모자랄 판이던데…

덜
급하신가 보네요,
태성 모터스
한 이사님.

야,
경주야.

그러니까
내 말은…

하!

어이가
없네…

HOW TO
SNAG
AN
ALPHA

26

- 가출 전 -

253

어?!
내 맘대로 하라며!

하고
싶은 대로 하면
된다니까.

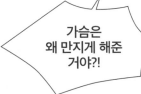

가슴은
왜 만지게 해준
거야?!

아씨,
가슴…

…아파.

윤우영.

왜 이렇게
전화를
안 받아?

벌
떡

아아아아악!

여기,

여긴
왜 왔어?!

하아

하아

벌써 가버린 줄
알고
걱정했어.

삐비쭉

삐비쭉

궁시렁

궁시렁

걱정은
무슨,

오라는 데는
안 오더니.

어젠 미안해,
갑자기 일이
생겨서….

많이
기다렸어?

261

아니!

안 기다렸어!

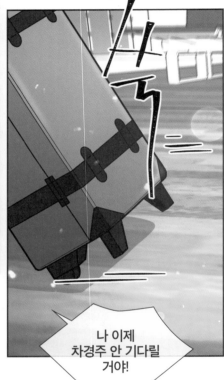

나 이제
차경주 안 기다릴
거야!

맞아.

그동안
윤우영이
나 많이 기다려
줬으니까

이젠 내가
윤우영
기다릴게.

그게 무슨
소리야?

너
유학 끝나고
돌아올 때까지,
아무도 안 만나고

너만
기다리겠다고.

…차경주한테
꽃다발 받아 먹을
거야.

응,

식물원째로
사다 줄게.

혹시나 해서
와봤더니…

…역시나구만.

누가 누구 아버님이야?

그동안 내 새끼 그렇게 고생시켜놓고, 뻔뻔하게….

안 돼! 놔, 이 자식들아!

나 차경주랑 연애해야 한다고!

안 돼애!!

딴 놈 만나면
죽일 거야!!!

다… 당연하지!
연락할게,
우영아!

그 알파를 꼬시는 법 시즌1 2권

초판 1쇄 인쇄 2023년 12월 5일
초판 1쇄 발행 2023년 12월 20일

지은이 킴녕
펴낸이 이승현

로맨스 팀장 오가진
편집 한정아
본문 디자인 (주)디자인 프린웍스
표지 디자인 SONBOMDESIGN 김지은

펴낸곳 ㈜위즈덤하우스 **출판등록** 2000년 5월 23일 제13-1071호
주소 서울특별시 마포구 양화로 19 합정오피스빌딩 17층
전화 02) 2179-5600 **홈페이지** www.wisdomhouse.co.kr

ⓒ 킴녕, 2023

ISBN 979-11-6871-975-0 07650
　　　　979-11-6871-973-6 (세트)